Amor Monstro

Rachel Bright

BEM-VINDOS
A VILAMOROSA
Terra das coisas fofinhas

PRESENÇA

Isto

é um monstro.

(Olá, Monstro!)

Acho que estamos todos de acordo: ele é, no mínimo, um bocadinho esquisito.

Ele vive num mundo rodeado por coisas fofinhas e ternurentas.
MONTE OFICIAL DAS COISAS MUITO FOFAS

O que dificulta bastante a vida de alguém um bocadinho esquisito.

Já devem, com certeza, ter reparado que toda a gente adora

gatinhos...

e cachorrinhos...

e Coelhinhos.

São coisas fofinhas
e ternurentas,
estão a ver?

Mas ninguém adora
um monstro ligeiramente peludo
e com olhos um tanto
esbugalhados.

(Pobre Monstro.)

Tudo isto poderia ser o suficiente para deixar um monstro muito abalado e deprimido. Mas como este não era o tipo de monstro de se deixar levar pela tristeza.

decidiu partir em
busca de alguém que
o amasse,
tal como ele era.

Ele procurou
nas montanhas.

Procurou bem
nos vales.

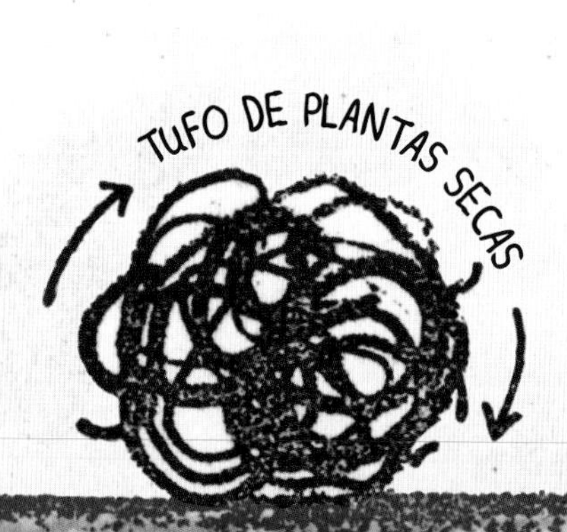
TUFO DE PLANTAS SECAS

Ele procurou nas planícies.

Procurou por dentro.

A. MONSTRO

E procurou
por fora.

Mais do que uma vez, o monstro achou que talvez,

talvez mesmo...

... ele tivesse encontrado aquilo de que andava à procura.

Mas a verdade é que as coisas nunca eram como pareciam.

Sim, podia dizer-se que a busca do monstro não tinha corrido nada bem.

E depois começou
a correr ainda pior.

De facto, as coisas não correram bem durante tanto tempo.

que aos poucos tudo começou a ficar cada vez

mais escuro.

E

assustador.

E. bem.

não muito agradável.

Por fim, depois de ter perdido todo o seu entusiasmo, o monstro decidiu que era tempo de desistir...

...e regressar a casa.

Mas num piscar de olhos esbugalhados...

tudo mudou.

É que, sabem,
às vezes,
quando menos esperamos...

...o amor
encontra-nos.

Para todos os monstros que me encontraram
(& em especial um que é ligeiramente peludo)

E com um agradecimento especial
aos incríveis e espantosos Mandy. Nancy. Helen.
Ann-Janine. Kayt. James e Rose.

Título: *Amor Monstro*
Título original: *Love Monster*
Autora: *Rachel Bright*

Edição portuguesa publicada por acordo com HarperCollins Publishers Ltd.

Tradução: *E. P.*
Composição: *Multitipo — Artes Gráficas, Lda.*
Impresso na Malásia

Depósito legal n.º 332 748/11
1.ª edição, Lisboa, novembro, 2011
2.ª edição cartonada, Lisboa, novembro, 2019
Reimpressão, Lisboa, novembro, 2024

EDITORIAL PRESENÇA
Estrada das Palmeiras, 59 – Queluz de Baixo
2730-132 Barcarena
info@presenca.pt
www.presenca.pt